Hein Stekel en Posko

afgeschreven

Uitgegeven door: Uitgeverij Quist, Leidschendam
Illustraties: Hanneke van Broekhoven
Redactie: Juul Lelieveld

Copyright © 2007 Charlotte Doornhein, Uitgeverij Quist

ISBN-10: 90-77983-16-3
ISBN-13: 978-90-77983-16-4
NUR 200

Charlotte Doornhein

Hein Stekel en Posko

Voor Imre en Jurn

Inhoud

Appeltaart en vliegende bloemen

Hein Stekel valt zowat uit de auto en begint direct in het rond te springen. 'We zijn er, we zijn er! Waar is de taart?' De hele weg verheugt hij zich al op de taart. Oma maakt de lekkerste appeltaart van de wereld. Mama's taarten smaken altijd een beetje droog. Net zo droog als de zandtaartjes die hij in de zandbak maakt met Maartje. Hein stopt met springen. Maartje is kwaad... Hij heeft haar gisteren op school omver geduwd. De juf is ook weer boos op hem geworden. 'Kun je nu nooit eens rustig doen? Wat moet ik met je beginnen Hein Stekel,' riep ze. Hein zucht. Hij heeft ADHD. Hij is anders... 'Stomkop!' roepen de grote kinderen in zijn straat hem na. 'Hein is Alle Dagen Heel Debiel!'
Hein rent. Hij lacht alweer. ADHD betekent Alle Dagen Heel Dapper!

'Papa, kijk ik ben een eekhoorn, ik
klim zo in de reuzenboom. Nee, ik ben
superman, ik vlieg naar de top! Dan
sta ik op de uitkijk en als er boeven
aankomen, schiet ik ze overhoop. En dan
spat al het bloed in het rond.'
Mama kijkt hem fronsend aan: 'Hein, er
wordt vandaag niet geschoten. Doe eens
een beetje rustig. Opa en oma zijn al oud
en sneller moe.'
'Hè bah,' denkt Hein, 'waarom doet
mama zo stom? Ik moet opa en oma toch
beschermen? Als ze moe zijn kunnen ze
zelf niet meer tegen boeven vechten.'
Hij rent naar de deur en gluurt door
de brievenbus. 'Ouwe opa, ouwe oma,
wakker worden, ik ben er!' Hein kleppert
keihard met de brievenbus. 'Klepperde
klepperdeklep. Ik ben een trommelaar.
Hoor maar, ik ben de beste.'

Er komt een geluid uit de deur. 'Boe!'
klinkt het. 'Boe, boe, boeh... Ik ben het
huisspook. Ik woon in de deur. Waarom

maak je me wakker?'
Wat was dat? Hein schrikt. Hij voelt
voorzichtig aan de deur. 'Waar zit je dan,
ik zie je niet.'
'Boehoehoe, ik ben onzichtbaar,' snikt
het spook. 'Daarom wil niemand mijn
vriendje zijn...'
'Ik wil je vriendje wel zijn,' zegt Hein.
'Wil je met me spelen in het bos?'

'Hein!' Mama roept. 'Kom eens naar de
auto en draag de bloemen voor oma.'
'Ik ga taart eten,' zegt Hein tegen het
spook. 'Tot zo.'
Voorzichtig loopt Hein met de bloemen
naar de achtertuin. Oma en opa zitten
onder de parasol. 'Hoera, hiep hiep
hoera. Vangen oma,' roept Hein en hij
gooit de bloemen in de schoot van oma.
Oma gilt.
Papa begint te lachen en tilt Hein hoog
boven zijn hoofd. 'Jij hebt zeker weer
te lang stilgezeten in de auto, kleine
druktemaker van me. Ik zal je wel even

rondslingeren.' Hij pakt Hein bij zijn
voeten en begint rondjes te draaien.
'Joepie, harder papa, harder,' roept Hein.
De wind waait door zijn haren, hij ziet
flitsen langskomen van het huis, oma en
opa, het bos, de wolken en de zon.
Boem, daar rollen ze over het gras. Hein
klimt op papa's rug. 'Je bent een wild
paard papa, gooi me eraf.'
Papa gaat op zijn handen en knieën zitten
en begint rondjes te lopen.

'Wat ben je nou voor sloom paard papa?
Gooi me er nou af, ik ben een cowboy.'
Papa begint te snuiven en te briesen en
schraapt met zijn hoef over de grond.
Hij maakt rare bewegingen. Hein houdt
zich stevig vast. Het paard wordt steeds
wilder.

'Oma, help me dan! Je moet het paard
vangen,' hijgt Hein. 'Ik houd het niet
lang meer vol.'
'Natuurlijk help ik je, Hein.' Oma staat
op. 'Ik heb hier een lasso, let op.' Wat is
oma toch slim. 'Ha mooi, die was raak.
Huuu, rustig maar paardje, ik heb je
gevangen. Je zit vast aan mijn touw.'
Het paard is getemd. Hein springt uit het
zadel en geeft opa en oma een kus. 'Waar
is de taart?'
'In de keuken,' zegt oma. 'Kom, dan gaan
we slagroom kloppen.'

1 Van welke taart kun je niet afblijven? Hoeveel stukken kun je achter elkaar opeten? Wie maakt de lekkerste taarten?

2 Hein heeft ADHD. Weet je wat dat is?

3 Ga je ook wel eens met de auto, de trein of lopend (of misschien wel met het vliegtuig) naar opa of oma? Wat zie je dan onderweg? Kom je leuke dingen tegen?

4 Kun je een tekening of kaart maken van de route? Hoe kom je van jullie huis naar het huis van je opa en oma?

Toverslagroom

Hein huppelt naar de keuken. 'Oma,
mag ik jouw schort om?'
'Tuurlijk Hein, anders worden je mooie
feestkleren vies.'
Hein lacht. 'Mooi hè, ik ben met papa
naar de stad gegaan. Deze broek heb ik
helemaal zelf uitgezocht.'

Broem, broem, oma start de mixer.
'Oma, oma, je vergeet het schort!'
'Och ja, wat dom van mij,' zegt oma.
'Want het is nog wel een toverschort. Als
ik deze omdoe dan bak ik de lekkerste
appeltaarten van de wereld.'
'Oma, ik wil ook toveren. Ik ben de
grote tovenaar, met het schort en de
supermixer maak ik toverslagroom.
Iedereen die het eet moet opeens heel
hard lachen, leuk hè.'
Oma grinnikt. 'Erg leuk, wat knap dat je
dat kan. Zo Hein, even stilstaan, dan doe
ik het schort bij je om.'

En broem, broem, daar gaat de mixer weer aan. Hein roert in de kom. Broem, broem. 'Oma, oma, snel, we moeten de toverspreuk nog zeggen. Ken je de spreuk niet? Ik doe hem wel voor.'

'O wat leuk,
deze slagroom geeft je geen jeuk,
eet je maar lekker vol,
dan heb je extra veel lol!'

'Kom oma, nog een keer, maar nu samen.' Samen roepen ze de toverspreuk over de slagroom uit.

'O wat leuk,
deze slagroom geeft je geen jeuk,
eet je maar lekker vol,
dan heb je extra veel lol!'

'Nog even volhouden Hein, je bent er
bijna.' Oma legt alvast alle taartpunten
op vrolijke bordjes.
'Kijk oma, kijk, het wordt al dik!' roept
Hein.
'Goed zo Hein, stop maar met mixen.'
Oma glimlacht. 'Anders krijgen we nog
toverboter in plaats van toverslagroom.'

Met de spuitzak maakt oma mooie toefjes
op de taartpunten.
'Oma, ik heb een goed idee. We geven
opa extra veel toverslagroom. Dan moet
hij zo hard lachen dat hij bijna in zijn
broek plast!'
'Goed, dat doen we,' lacht oma. 'Ik ben
benieuwd wat er gaat gebeuren.'
Heel voorzichtig spuit Hein de
toverslagroom op opa's taart. Zo, dat

heeft hij mooi gedaan. 'Mag ik ook een beetje toverslagroom in een kommetje voor mijn vriendje?'

'Welk vriendje, je bent hier toch alleen? Of heb ik iemand over het hoofd gezien?' Oma trekt de deuren van de keukenkastjes open. 'Joehoe, vriendje van Hein, waar heb je je verstopt? Als ik je vind dan moet je de hele kom met toverslagroom leeglikken! Joehoe.'

'Nee oma, doe niet zo raar. Het is een onzichtbaar vriendje, jij kunt hem niet vinden. Alleen ik weet waar hij is en alleen ik kan met hem praten,' zegt Hein trots.

'Oké,' zegt oma. 'Maar als dat vriendje van jou onzichtbaar is, lust hij dan wel zichtbare toverslagroom? Of kan je hem beter onzichtbare toverslagroom geven?' Hein denkt na. 'Dat weet ik niet. Misschien moet ik de slagroom en de taart eerst zelf proeven? Dan kan ik ook aan mijn vriendje vertellen of het lekker

is. Kom oma, dan brengen we de taart naar buiten.'
'Goed idee Hein. Vraag jij of opa de drankjes wil halen?'

1 Heb jij wel eens zelf slagroom geklopt? Misschien mag je van je juf of meester wel een keer slagroom kloppen in de klas en anders vraag je het aan papa of mama.

Het leukste is om twee bekertjes te kloppen. In het ene maak je lekkere slagroom. En in het andere klop je de slagroom te lang, zodat het boter wordt. Nu weet je ook meteen hoe het niet moet!

Zwarte limonade

Hein rent naar buiten. 'Opa, opa, kom gauw, we hebben dorst! Oma vraagt of je komt helpen.'
'Zo Hein,' zegt opa.
'Heb je dorst?
Dan ga je naar Hans Worst.
Die heeft een hondje,
en die piest zo in je ...'

'Mondje!!!' roept Hein heel hard. Haha, die opa toch. 'Nee, ik ga lekker niet naar Hans Worst. Ik wil alsjeblieft limonade met een rietje. Nee, limonade met twee rietjes.' Hein danst vrolijk in het rond.
'En wat voor kleur limonade wil je Hein? Groen, paars, goud of zwart?' Opa kijkt heel serieus.
'Bah opa! Ik lust geen zwarte limonade! Dat is vies.' Hein stampt met zijn voeten op de grond. 'Vies! Vies! Vies!'
'Hein, doe eens even rustig,' zegt papa.
'Opa maakt maar een grapje.'

'Oh, mag ik dan rode limonade?' vraagt Hein.

'Natuurlijk Hein, jij krijgt van mij rode limonade. En wat willen papa en mama drinken, denk je? Lusten zij wel zwarte limonade?' Opa knipoogt.

'Ja hoor,' antwoordt Hein. 'Papa en mama zijn gek op zwarte limonade!'

'Goed.' Opa staat op om de geheimzinnige drankjes te gaan halen.

Hein maakt koprollen op het gras. En nog een keer, en nog een keer, en nog een keer. Hij kan niet ophouden. Hij wordt er een beetje draaierig van...

'Hein, kom eens bij mij op schoot zitten,' zegt papa. 'Ik heb een mooi verhaal voor je.'

Hein is gek op de verhalen van papa. Hij gaat lekker op papa's schoot zitten en leunt tegen zijn borstkas.

'Hein, toen ik klein was, wilde ik circusartiest worden. Toen ik jou zo zag koprollen moest ik daar weer aan denken.

Ik wilde kunstjes doen met de honden. Alleen was ik een beetje bang voor honden. Daarom ben ik gaan oefenen met de honden van oom Jacco. Hij had drie grote honden die goed luisterden. Ze konden zitten en dood liggen. En een bal vangen. En lachen. En een poot geven. En achteruit lopen en zelfs dansen op muziek… Oom Jacco leerde me om honden te vertrouwen en niet bang te zijn. Hij gaf me ook een tip voor als ik vreemde honden zag op straat. Laat nooit merken dat je bang bent, want dat voelen ze. En ren ook nooit hard weg, want dan komen ze je misschien wel achterna. Je kunt het beste gewoon rustig doorlopen.'

'Hier is de zwarte limonade voor papa en mama.' Opa zet kopjes met een warme, dampende drank neer.
Hein snuffelt eraan. 'O, het is koffie.' Hij kijkt teleurgesteld.
'Natuurlijk gekkie, dacht je nou echt dat wij zwarte limonade gingen drinken?'

zegt mama. 'Maar een kopje koffie gaat er
wel in na die autorit.'
'En nou nog een lekker stuk taart erbij.'
Oma deelt de bordjes uit. 'Hein heeft
extra zijn best gedaan op de slagroom.'
Ze geeft Hein een vette knipoog.

Opa neemt als eerste een grote hap van
zijn taart. Hein kijkt gespannen toe. Er
gebeurt niets. Opa neemt nog een grote
hap. Hij kauwt langzaam. 'Hm, er zit
een aparte smaak aan deze taart, of is het
soms de slagroom? Ik weet het niet, maar
iets is anders dan normaal.'
Opa begint keihard te lachen. 'Haha,
ha, hi, haaaa, ha, hoho, hiha, haha, hiha,
hoooo, ha, hiiiiija, ha, hoho. O, mijn
buik, o mijn buik, mijn buik doet pijn
van het lachen, wat een lol, haha, ha,
haaaaahi, ho, haha, hihi. Ik kan niet
stoppen, ik kan echt niet stoppen, o wat
moet ik lachen, zo meteen plas ik nog in
mijn broek! Ik ga rennen, snel naar de

wc! Haha, ha, hoho.' Bulderend van het lachen rent opa naar binnen.

'Wat heeft hij nou opeens?' Papa kijkt verbaasd.
Hein straalt. 'Dat komt door mijn toverslagroom! Goed hè.'
'Nou Hein, het werkt fantastisch,' zegt oma. 'Maar alleen bij opa, want de rest heeft er geen last van...'
Hein kijkt om zich heen. Oma heeft gelijk. Papa en mama glimlachen, maar ze krijgen niet zo´n lachaanval als opa. En bij hem heeft het ook niet gewerkt.
'Oké dan,' zegt Hein, 'dan noemen we

het maar Opa´s toverslagroom.' En
hij begint tussen de happen taart door
vrolijk voor zich uit te zingen omdat het
plan zo goed gelukt is.

1 Welke honden ken je allemaal in de buurt?
Hoe heten ze en hoe zien ze eruit? Zijn ze lief of
ondeugend of gemeen?

2 Welke limonade vind jij het lekkerst? Welke
kleur heeft die limonade? Waarnaar smaakt je
lievelingslimonade?

3 Hein Stekel is een druk jongetje. Ben je zelf
ook wel eens druk? Wat doe je dan? Kun je
het voordoen? Ken je zelf nog andere drukke
kinderen? Vind je het leuk of vind je het niet
leuk als ze zo druk zijn? Waarom?

Ontsnapping uit de deur

Mama pakt haar tas. 'Hein, je hebt vanochtend je pil niet geslikt. Ik heb gelukkig een pilstrip bij me. Kijk, ik leg de pil hier neer. Dan kun je hem innemen.'

'O ja, je nieuwe pillen,' zegt oma. 'Ik hoorde van mama dat je die nu slikt.'

Hein kijkt naar de grond. 'Ja. Ik ben soms een beetje druk en dan worden papa en mama en de juffrouw op school en de kinderen een beetje gek van mij. Het pilletje helpt een beetje.'

Oma kijkt verdrietig.

'Het is niet erg hoor oma. Je hoeft niet verdrietig te zijn. Kijk, ik slik het in een keer door.' Hein pakt de pil, neemt een grote slok van zijn limonade en weg is de pil. 'Makkie. Ik kan wel tien pillen tegelijk doorslikken.'

'Hein, je bent een grote praatjesmaker.' Papa staat voor hem. 'Je weet dat je niet meer dan een pil tegelijk mag slikken. Zit

oma niet voor de gek te houden.'
'Ja, jaaaaaa, sorry oma. Ik ga nog wat
toverslagroom halen. Dag.' En weg is
Hein.

Met een kommetje toverslagroom in zijn
hand loopt Hein naar de voordeur.

'Joehoe, spookvriendje, joehoe, ben je
daar?' fluistert hij zachtjes.
'O, ben jij het? Wat heb je daar in je
hand?' klinkt het uit de deur.

'Heel lekkere Opa's toverslagroom. Wil je een beetje proeven?' vraagt Hein.

'Nou, maar wat graag! Alleen… ik kan pas wat van die overheerlijke verrukkelijke romige goedgeklopte mixergedraaide Opa's toverslagroom eten als ik uit de deur kom… En dat is niet zo makkelijk hoor!' Het spook begint zachtjes te huilen.

'Ik wil je wel helpen.' Hein aait over de deur. 'Ik ben toch je vriendje?'

'Oké. Weet je wat je moet doen?' vraagt het spook.

'Nee. Weet jij het dan niet?' Hein is verbaasd.

'Ik weet een klein stukje.' Het spook klinkt verdrietig. 'Wrijf met je linkerhand over de deurknop, trap met je rechtervoet tegen de deur aan en roep dan hard mijn naam.'

'O, makkie,' zegt Hein stoer. 'Dat doe ik wel even. Hoe heet je?'

'Boehoeboehoe, boeoeoeoeoeoeoeoeoeoeoeoeoe, dat is het

grote probleem, ik weet niet hoe ik heet!'
Het spook begint hartverscheurend te
huilen.

'Geen naam, dat is lastig! Iedereen
heeft toch een naam?' Hein denkt na.
'Misschien helpt de toverslagroom
me wel.' Hij steekt zijn vinger in de
toverslagroom en likt hem af. 'Oké, let
op. Let op, ik ga beginnen!' Hein wrijft
met zijn linkerhand over de deurknop,
trapt met zijn rechtervoet tegen de deur
en roept keihard: 'POSKO!!!'
Wat een gekke naam denkt Hein. Daar
heb ik nog nooit van gehoord. Het zal
wel niet goed zijn. Ik moet het nog maar
een keer proberen...

'Tètètètètè. Rètèkètèèèèt. Joepie de
poepie!!!!!!' kraait het spook van plezier.
'Ik ben uit de deur, ik kan van je
toverslagroom proeven, ik kan met je
in het bos spelen, en ik heb een naam,
ik heb een naam, een heel mooie en
bijzondere naam, ik heet Posko!'

1 Hein Stekel kan het spook Posko horen en met hem praten. Papa en mama kunnen Posko niet horen. Heb jij dat ook wel eens, dat je dingen hoort die anderen niet horen? Of dat je dingen ziet die anderen niet zien?

2 Als je de letters van de naam Posko in een andere volgorde zet, krijg je een woord dat je vast kent. Welk woord is dit?

3 Kun je van de letters van je eigen naam andere woorden maken? Je hoeft niet alle letters te gebruiken. Bijvoorbeeld: Bas - as. Stephanie - step.

Het heldenlied

Posko is zo opgewonden dat hij dwars
door de voordeur naar buiten vliegt.
'Kom op, we gaan naar het bos!'
Hein doet de klep van de brievenbus
open en roept: 'Wacht op mij.' Hij rent
door de keuken naar buiten. 'Papa,
mama, ik ga in het bos spelen.'
'Goed Hein,' zegt papa. 'Maar blijf op
het pad en ga niet verder dan het meertje.
En over een uur terug zijn. Als allebei de
wijzers van je horloge op de twaalf staan.
Oké?'
'Oké papa.' Hein rent vrolijk door de
tuin heen naar de voorkant. Waar is
Posko gebleven?
'Zoek me dan, als je kan, je kan me toch
niet vinden!' hoort Hein boven zich.
'Zoek me dan, als je kan, je kan me toch
niet vinden...,' klinkt het nog een keer,
maar nu aan zijn linkerkant.
'Ja, vind je het gek!' zegt Hein.
'Natuurlijk kan ik je niet vinden, want

je bent onzichtbaar! Zo win je altijd met verstoppertje spelen. Kun je je niet even een klein beetje ietsepietsie zichtbaar maken?'

'Nee,' antwoordt Posko. 'Alleen als ik heel erg Boos of Bang of Briesend of Beestachtig of Benauwd of Bibberig of Beverig ben. Dan word ik namelijk boeirood en dan kun je eventjes m´n hoofd zien.'

'Goh,' zucht Hein. 'Ik word ook wel eens boos. Papa en mama zeggen dan dat ik mijn oorwurmengezicht opzet. Dan word ik nog bozer en krijg ik ook een rood hoofd. Ze snappen er gewoon niks van. En dan gaan ze grapjes maken. Ze zeggen dat er stoom uit mijn oren komt en dat ik ga fluiten als een ouderwetse stoomlocomotief. Maar dat kan niet.'

'O jawel hoor,' lacht Posko. 'Tuut! Tuut! Tuut!' klinkt het keihard.

Hein schrikt zich rot. 'Wauw, goed zeg! Kun je me dat leren?'

'Ik geloof niet dat mensenoren kunnen

stoomfluiten,' zegt Posko. 'Volgens mij
knappen je trommelvliezen dan meteen.'
'Wat zijn trommelvliezen nou weer?'
vraagt Hein.
'Die zitten in je oren en vangen trillingen
van geluid op zodat je kunt horen,'
spreekt Posko wijs. Hij begint nog meer
over mensenoren uit te leggen.
'Posko,' roept Hein hard. 'Ik zit nu
niet op school hoor! We gaan spelen.'
Zingend loopt hij het bos in.

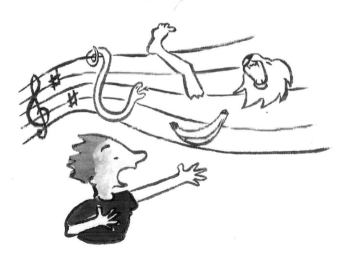

'Ik ben een held
geef mij je geld
dan ben je veilig
en nooit meer bang
voor de reusachtige slang

Allemaal: si si si si sssssssssi

Met mijn toverstok
sla ik de slang op zijn kop
je bent nooit meer bang
je bent nooit meer alleen
ik bescherm iedereen

Allemaal: hoera!

Een jongen verliest zijn been
waar moet hij heen?
waar moet hij heen!
geen paniek klein kind
ik ben de heldenvrind

Allemaal: joepie de poepie!

Ik zwaai met mijn toverstaf
kijk is dat niet maf?
het been groeit opnieuw aan
hij kan er gewoon weer op staan
en dansen als een kromme banaan

Allemaal: kom we doen de bananendans!

Een meisje verliest haar hond
hij ziet een kat en trekt haar over de grond
de kat tover ik om tot een brullende leeuw
de hond vlucht naar het meisje
als een krijsende meeuw

Allemaal: krijsen en vliegen!

Ik ben een held
geef mij je geld
dan ben je nooit meer bang
voor een enge man
al staat ie bij de deur op je pad
ik sla hem knoerthard tegen de mat!

Allemaal: wie is de held? Heeeeeeeein
Steeeeeeeeeeekel!'

'Goh,' zucht Posko, 'wat een apart lied.
Van wie heb je dat geleerd?'
'Ik heb het zelf verzonnen.' Hein glimt
van trots. 'Mooi hè?!'
'Zeker,' zegt Posko. 'Zullen we het nog
een keer zingen, dan maak ik er geluiden
en bewegingen bij.'
Zo hard als hij kan zingt Hein het lied
nog een keer. Wat kan Posko de krijsende
meeuw goed nadoen! Hein krijgt er zelfs
kippenvel van…

1 Aan het begin van het hoofdstuk noemt Posko allemaal woorden die met een B beginnen, zoals Boos, Bang, Briesend, Beestachtig, Benauwd, Bibberig en Beverig. Welke woorden met een B ken jij allemaal?

2 Posko wil Hein wat uitleggen over trommelvliezen. Maar Hein heeft geen zin om te luisteren. Heb jij ook wel eens geen zin om te luisteren? Naar wie wil je dan niet luisteren? Waarom wil je niet luisteren?

3 Kan jij het lied van Hein Stekel afmaken? Probeer een paar regels te maken met woorden die op elkaar rijmen.

Het donkere meer

Al zingend en dansend zijn ze vlakbij het donkere meer gekomen. Hein stopt met zingen omdat hij bijna tegen een bank oploopt.

'Posko, Posko, stop!' roept Hein. 'Ik mag niet verder. Daar is het meertje. Er zit zwart water in en het is heel diep. Ik wil er niet in vallen, want ik kan nog niet goed zwemmen.'

'Zwemmen?' vraagt Posko nieuwsgierig. 'Waarom zou je willen zwemmen in dat vieze water? Je kan er toch makkelijk overheen zweven?'

'Posko, wat ben je toch een oen!' Hein kijkt boos. 'Ik kan toch helemaal niet zweven?! Ik ben een kind, geen spook.'

Verdrietig gaat Hein op de bank zitten. Hij tuurt naar het meer. Dan bedenkt hij iets.

'Posko, kun jij mij misschien dragen? Dan spelen we dat ik een ridder ben op een paard. Mijn kasteel ligt daar midden

in het water. Kijk daar, zie je wel?'
'Ik zie het niet,' zegt Posko.
'Dat klopt, het kasteel is onzichtbaar,
net als jij. Maar misschien kun jij
het wel zichtbaar maken met een
toverspookspreuk. Dan moet je drie keer
met je oren stoomfluiten, twee keer in je
handen klappen, één keer niezen en dan
de toverspookspreuk fluisteren. Maar niet
te hard, want als ik de toverspookspreuk
hoor dan werkt het niet.'
'Hoe weet jij dat allemaal?' vraagt Posko
verbaasd.
'O, dat heb ik in een boek gelezen,' zegt
Hein. 'Weet je niet dat je kan toveren?
Elk spook kan een beetje toveren hoor.'
'Tuurlijk weet ik dat wel,' roept Posko
verontwaardigd. 'Ik ben alleen niet zo
goed in toveren. Soms mislukt het en
gebeuren er rare dingen.'
'Geeft niks. Ik vind rare dingen juist
leuk.' Hein springt van het bankje af.
'Kom, doe de toverspookspreuk. Kom
op, doe de toverspookspreuk nou.

Ik moedig je wel aan. Joepie Posko.
Joepie Posko.' Hein draait in het rond en
zingt:

'Zo gaat ie goed,
Zo gaat ie beter.
Alweer een toverspookspreuk
uit Posko's mond...
gebromd.
Zo gaat ie goed,
Zo gaat ie beter.
Alweer een toverspookspreuk
uit Posko's mond...
gebromd.'

'Stilte!' schreeuwt Posko. 'Ik moet me
concentreren. Stilte.'
Hein gaat weer op het bankje zitten.
'En niet zo wiebelen met je voeten en
friemelen met je handen. Daar word ik
door afgeleid,' zegt Posko streng. 'Stil zijn
en niet bewegen, anders gaat het fout.'
Hein doet heel erg zijn best om stil te
zitten.

Posko schraapt zijn keel. 'Ahum. Let op.'
Hij fluit drie keer met zijn oren, klapt
twee keer in zijn handen en niest zo hard
dat de boomblaadjes beginnen te ritselen.
Hein luistert gespannen. Hij hoort de
toverspookspreuk niet. Zou het gelukt
zijn?

'Ziezo, klaar is Posko.' Het spook
grinnikt tevreden. 'Nog heel even
wachten en dan zie je jouw kasteel.'
Hein slaakt een vreugdekreet. Gelukt!
'Joehoe ik ben ridder Hein en ik heb
een kasteel met een echte slotgracht met
allemaal enge beesten erin. En ik ben
voor niemand bang. Ik jaag alle boeven
weg. Ik ben de beste ridder van de
wereld!'

Hein zit trots op Posko's rug en zweeft
over de brug naar zijn kasteel. Eerst is het
nog een beetje wazig, maar al snel wordt
het kasteel zichtbaar. Het is een prachtig
kasteel met heel veel torens en ramen en
echte kantelen. Er wapperen honderden
felgekleurde vlaggen. Posko stopt voor de

poort. 'Wat doen we nu Hein? De poort
is dicht.'

'Niet voor lang. Let maar eens op.' Hein
zwaait met zijn zwaard. 'Open de poort,
ridder Hein komt thuis.' Er klinken
trompetten. Luid krakend gaat de poort
open.

1 Hein kan met hulp van Posko door de lucht
zweven en vliegen. Heb jij wel eens door de
lucht gevlogen in het echt of in je dromen?

Waarmee vloog je dan?

Waarmee vliegen heksen?

Waarmee vliegt een piloot?

Waarmee vliegt een vlieg?

Ken je beesten die door de lucht kunnen vliegen? Welke?

2 Hein heeft een eigen kasteel. Heb jij ook een plek die helemaal van jou alleen is?
- wat voor plek?
- is het een bestaande plek of een fantasieplek?
- wanneer ga je daar heen?
- ga je alleen of met iemand anders?
- wat doe je daar?

3 Heb je zin om zelf een kasteel te bouwen? Je kunt dit kasteel maken door bijvoorbeeld het volgende te verzamelen: dozen (groot), eierdozen, papier en karton, plastic of kartonnen bekertjes, kurken, hout, flessendoppen, plaatjes uit tijdschriften, enzovoort. Maak er maar een mooi bouwwerk van!

De kasteelkinderen

Hein stopt in het midden van het kasteelplein. Hij kijkt om zich heen.
Er staan allemaal kinderen op hem te wachten.
'Hallo ridder Hein,' roepen ze in koor.
'Fijn dat je weer thuis bent! Met jou in de buurt kan ons niks gebeuren. Zullen we verstoppertje spelen?'
Hein straalt. 'Mijn lievelingsspel. Doe je ook mee Posko, dan moet jij ons zoeken.'
'Goed. Maar jullie moeten je wel goed verstoppen, want ik ben een kei in het zoeken van kinderen.' Posko begint te tellen.

'Ik tel tien keer tot tien.
Wie niet weg is, is gezien.
Een, twee, drie, vijf, zes, zeven, acht, negen, tien.
Een, twee, drie, vier, vijf, zes, zeven, negen, tien.'

De kinderen rennen weg. In het kasteel
kun je erg goede verstopplekken
vinden. Jip kruipt in de hooiberg. Okke
duikt onder een bed. Lukas klimt op
de boekenkast. Jord gaat in de grote
open haard zitten. Floor springt in
de waterput. Daan kruipt onder de
keukentafel. Kira en Oliver rennen
driehonderdtweeentachtig treden
omhoog en gaan in de hoogste toren
achter de deur staan. Hannah sluipt de
geheime gang in. Maaike kruipt in de
diepe soeppan. Imre trekt een grote hoed
over zich heen. Allemaal vinden ze een
goed plekje.

Posko doet zijn ogen wijd open. Het
kasteelplein ziet er verlaten uit. Maar
Posko heeft gelukkig heel goede ogen,
een erg grote neus en superontwikkelde
oren.

Posko vliegt door de muren van het
kasteel. Hij spiedt alle kanten op. Hij ziet

blauwe schoenen onder een bed uit-
steken. Hij trekt aan de schoenen en
haalt Okke onder het bed vandaan.
Posko vliegt verder. Wat raar. Het touw
van de emmer in de waterput trilt. Hij
vindt Floor in de put. Ze zit te bibberen
in het water. Posko zweeft met Floor naar
de keuken. Hij wil haar wat soep geven
om warm te worden en tilt het deksel van
de soeppan. Maar in de grote soeppan zit
Maaike! Posko's ogen vallen bijna uit zijn
hoofd van schrik.

Dan ziet Posko geen kinderen meer.
Hij sluit zijn ogen en draait met zijn
superontwikkelde oren in het rond. Wat
een lawaai! In de hooiberg hoort hij Jip
niezen. Lukas ligt op de boekenkast en
verraadt zichzelf doordat hij een stapel
boeken omgooit. Jord krijgt roet van de
open haard in zijn keel en moet hoesten.
Daan heeft een mooie plek onder de
keukentafel gevonden. De kat geeft hem
kopjes en miauwt heel hard.

Posko spitst zijn oren nog verder. Wat
hoort hij daar? Hannah zit zachtjes te
huilen in de geheime gang. Het is donker
en ze kan de geheime deur niet meer
vinden.
Posko snelt naar haar toe en bevrijdt haar.
Hij maakt gekke geluiden om haar weer
aan het lachen te maken. Imre wil weten
wat er gebeurt en gluurt onder de rand
van de hoed. Posko hoort het meteen.
Gevonden!

Het is nu muisstil in het kasteel. Posko hoort geen kinderen meer. Hij sluit zijn oren. Hij spert zijn neusgaten wagenwijd open. Snuffelend volgt hij een vers zweetspoor naar de hoogste toren. Daar vindt hij Kira en Oliver. Ze zijn zo hard de driehonderdtweeentachtig treden opgerend dat het zweet over hun rug en gezicht loopt. Bah, wat stinken ze.

Iedereen is gevonden, behalve Hein Stekel. De kinderen rennen door het kasteel. 'Hein waar ben je. Hein waar ben je. Kom nou tevoorschijn, we kunnen je niet vinden. Hein, kom nou. Doe niet zo flauw.'
Er klinkt een grote gong. Een dikke kok met een hoge koksmuts op komt de trap afgewaggeld.
'Het eten is klaar. We gaan aan tafel. Allee hup.'
'Ik wil helemaal niet eten,' zegt Posko.
'Ik moet Hein vinden. Misschien is er wel iets ergs met hem gebeurd.' Posko´s

hoofd wordt langzaam zichtbaar. Het is een beetje rood. Hij is Bang en een beetje Bibberig.

De dikke kok begint te lachen. Hij gooit zijn koksmuts af en haalt een kussen onder zijn schort vandaan.

'Gefopt, ik ben het, Hein Stekel!'

De kinderen en Posko beginnen te lachen en te springen. Wat is Hein toch slim. Hij heeft ze mooi voor de gek gehouden.

1 Hein speelt met de kinderen van het kasteel. Heb jij vriendjes en vriendinnetjes met wie je kunt spelen? Of speel je liever alleen?

2 Tijdens het verstoppertje spelen heeft Hein zichzelf als kok verkleed. Verkleed jij jezelf ook wel eens?
- wie ben je dan?
- is het leuk om iemand anders te zijn?
- waarom vind je dat leuk?

3 Zullen we ons nu verkleden?

Het knallende feestmaal

Daar klinkt de gong weer. Iedereen rent naar de keuken. Daar staat een grote eettafel waar alle kinderen aanschuiven. Drie koks lopen druk heen en weer. Ze roeren in grote pannen. Het borrelt en sist dat het een lieve lust is.
'Wat gaan we eten?' vraagt Hein.
Niemand geeft antwoord.
De koks kletteren borden met soep op tafel. Hein kijkt met grote ogen naar de dikke zwarte soep. Het ziet er vies uit.
'Wat is dit voor soep?' vraagt hij.
'Dit is kasteelgrachtwatersoep.' Jip snuift de geur diep in. 'Het is heel gezond, want er zit poep en pies van de krokodillen uit de kasteelgracht in.'
'Ja,' glundert Okke. 'En de piranha's spugen er ook in.'
'En soms bijten de waterslangen elkaars tong af, dan vind je een stukje tong in je soep. Dat is een echte delicatesse,' spreekt Lukas wijs.

'De koks schieten klappertjes uit het klappertjespistool boven de soep af. Dat is om het lekker pittig te maken.' Jord zit al te watertanden.

'En ze gooien er ook wat pukkels van de reuzenpad in. Die woont in de waterput. Ik heb hem vandaag nog gezien,' griezelt Floor.

'Ja,' vult Daan aan. 'Dat vindt hij helemaal niet erg. Hij heeft toch genoeg pukkels en wratten. Een paar minder mist hij niet.'

'Jullie vergeten bijna het allerbelangrijkste. Er moet een snufje roest in van een oud hoefijzer.' Kira lacht.

'Ja,' zegt Oliver. 'Gemengd met een snufje roest van de kettingen van de ophaalbrug. Dat smaakt heel apart.'

Maar Hannah weet het nog beter.

'Het allerbelangrijkste is dat de kasteelgrachtwatersoep door elkaar wordt geroerd met een wc-borstel.'

'Echt waar,' giechelt Maaike. 'Dan wordt de soep pas lekker smeuïg.'

'En ik weet het geheim van de koks,' fluistert Imre. 'Als ze de kasteelgrachtwatersoep klaarmaken hebben ze een week lang hun tanden niet gepoetst. En dan blazen ze met hun stinkende adem over de soep. En de opperkok hoest er een paar keer in.'
'Jakkie!' schreeuwen alle kinderen.
'Wat vies. Een week lang je tanden niet poetsen. Wie doet er nu zoiets?'

De kasteelkinderen beginnen vrolijk lachend hun soep op te lepelen.
Hein staart naar zijn bord. Hij heeft buikpijn.
'Wat is er Hein?' vraagt Jip. 'Hou je niet van kasteelgrachtwatersoep? Het is echt heel lekker hoor.'
'Ik eet dit niet,' zegt Hein vastbesloten.
'Ik wil pannenkoeken.'
'Wat zijn dat? Pannenkoeken?' Floor kijkt de kamer rond.
'Ik heb ook nog nooit van pannenkoeken gehoord.' Okke kijkt verbaasd.

'Ha, ze bestaan vast niet, die pannenkoeken,' lacht Lukas.
'Ja Hein, je zit ons zeker voor de gek te houden. Hoe kan je nou koeken van pannen maken. Pannen eet je niet, daar kook je in.' Jord tikt met zijn lepel op tafel.
'Jawel hoor, pannenkoeken bestaan wel. Er is zelfs een liedje over gemaakt. Luister maar.' Hein zingt:

'Marmelade, karbonade, varkenspootjes
Bloemkool en salade
Marmelade, karbonade, varkenspootjes
Bloemkool en salade
O koekjeskruimels
O slagroomtaartjes
Lange vingers
Pannenkoeken
Honger, honger, honger.'

Hein slaat hard met zijn handen op tafel terwijl hij 'honger, honger, honger' schreeuwt.

'Bloemkool, karbonade, slagroomtaartjes, pannenkoeken. Wat zijn dat voor rare dingen?' wil Hannah weten.

'Kun je dat eten?' vraagt Maaike.

'Kennen jullie dat allemaal niet?' Heins mond valt open. 'Ieder kind weet toch wat bloemkool en karbonade en slagroomtaartjes en pannenkoeken zijn. Wat eten jullie hier dan in het kasteel?'

'O, heel lekkere verrukkelijke dingen hoor.' Kira denkt na. 'Bijvoorbeeld spinnenwebbenragout, kaboutersnotlap, drilbilpudding, geklutste ogen, vuilnisstoofpotje, gemalen bottenbrood, papiersnipperpap, tenenkaasfantasie, vlooienpaté en natuurlijk de beroemde kasteelgrachtwatersoep. Die vind ik het allerlekkerst.'

Hein gruwt. 'Posko, hier moeten we iets aan doen. We gaan een écht feestmaal maken. Schuif alles aan de kant. De tafel moet leeg zijn.' Hein klapt in zijn handen.

Posko haalt diep adem, maakt zijn
wangen bol en blaast keihard. Alle
borden met kasteelgrachtwatersoep
worden zo door het raam naar buiten
geblazen.

'Hein wat doe je nu,' jammert Oliver. 'Ik
had mijn bord nog niet leeg.' De rest van
de kasteelkinderen kijkt boos naar Hein.
'Wacht maar,' zegt Hein. 'Posko en ik
zetten een echt feestmaal voor jullie op
tafel. Posko gaat een toverspookspreuk
doen. Allemaal stil zijn en niet bewegen.'

Posko fluit drie keer met zijn oren, klapt
twee keer in zijn handen en niest keihard.

De lampen aan het plafond wiebelen gevaarlijk. Daarna fluistert hij de toverspookspreuk. Er klinkt een enorme knal. Er komt rook uit het midden van de tafel. Als de rook optrekt, is er iets heel bijzonders gebeurd. Er branden vuurwerksterretjes op tafel. De stoelen zijn versierd met slingers. Aan elke stoel hangt een feestmuts. En de tafel staat boordevol met lekker eten.

'Kom, we gaan smullen!' roept Hein enthousiast. 'Iedereen zet zijn feestmuts op want het is een echt feestmaal. Kijk, daar in het midden staat een grote schaal patat met mayonaise. Het is een toverschaal. De patat raakt nooit op. Jullie kunnen er zoveel van eten als je wilt. Ernaast staat appelmoes. Die bruine dingen zijn kroketten. Appelmoes en kroketten smaken heel lekker bij patat. En kijk! Dit zijn nou pannenkoeken.' Hein wijst naar een bord met een reusachtige stapel pannenkoeken.

'Er zijn gewone pannenkoeken, spek-
pannenkoeken, appelpannenkoeken en
kaaspannenkoeken. Je kunt er suiker,
stroop, jam of honing op doen. Ze zijn
superlekker. Echt waar. En er zijn ook
poffertjes! Die zijn lekker met boter
en poedersuiker erop. En drinken
natuurlijk. Sinas, kinderbier, appeldrank
en yoghisap... Nee, ik bedoel appelsap
en yoghidrink.'
Verwonderlijk kijken de kasteelkinderen
naar al het eten en drinken dat Hein
opnoemt.

'Waar wachten jullie op?' vraagt Hein.
'Aanvallen!'
Dat laten de kasteelkinderen zich
geen twee keer zeggen. Borden
worden volgeschept. Het gesmak is
oorverdovend. Vingers worden afgelikt.
'Je hebt gelijk Hein.' Imre schept
zijn bord voor de derde keer vol. 'Dit
feestmaal is echt tien keer beter dan die
muffe kasteelgrachtwatersoep.'

'Ja!' schreeuwt Jord terwijl hij met zijn lepel in het rond zwaait. 'Applaus voor Hein Stekel!'

En alle kasteelkinderen klappen en juichen.

'Niet te veel eten hoor,' mompelt Posko met volle mond. 'Zo meteen tover ik nog een toetje. Daar moet je wel een gaatje voor in je buik vrij houden.'

'Een toetje. Is dat net zo lekker als een feestmaal?' vraagt Hannah.

'Bijna.' Hein lacht. 'Wacht maar af.'

Na het eten hangt iedereen een beetje moe en met volle buik achterover in zijn stoel.

'De tafel hoeft niet helemaal vol hoor Posko,' zegt Jip. 'Ik heb nog maar een klein beetje ruimte voor het toetje.'

'Nou, ik klap bijna uit elkaar.' Okke wrijft over zijn buik.

'Ja,' zucht Hannah. 'Ik zit ook best wel vol. Het was ook zo lekker.'

'Goed.' Posko zweeft boven de tafel. 'Dan

tover ik de tafel wel halfvol. Is iedereen er klaar voor? Allemaal weer stil zijn en niet bewegen.'

Posko fluit weer drie keer met zijn oren, klapt twee keer in zijn handen en niest keihard. Maar Floor schrikt zo van de harde nies dat ze van haar stoel valt en zomaar een boer laat. Precies op het moment dat Posko zijn toverspookspreuk fluistert. Wat een ramp! Posko raakt helemaal in de war. Het kasteel begint te trillen. Er klinkt gedonder en een lichtflits slaat in het kasteel. Het kasteel begint langzaam te vervagen... Er komen grote gaten in de muren en vloeren. Je ziet het water van de kasteelgracht er al bijna doorheen. Ook de kasteelkinderen worden steeds minder goed zichtbaar. Hun gepraat wordt steeds zachter. Hein ziet nog net dat ze naar hem zwaaien. 'Dag Hein en Posko, tot de volgende keer,' klinkt het in de verte. Daarna wordt het zwart voor zijn ogen.

1 In de kasteelgrachtwatersoep zitten
allemaal rare dingen, zoals poep en pies
van de krokodillen, piranhaspuug, tong
van de waterslangen, klappertjes uit een
klappertjespistool, pukkels van de reuzenpad,
roest van een hoefijzer en roest van de kettingen
van de ophaalbrug, adem en hoest van de koks.
Alles wordt geroerd met een wc-borstel.

Kun je nog meer dingen verzinnen die lekker
smaken in de kasteelgrachtwatersoep en die de
koks vergeten zijn?

2 Wat is jouw lievelingseten? Kun je een
boodschappenlijstje maken voor papa en
mama? Dan kunnen ze alle boodschappen voor
je lievelingseten doen.
- denk bijvoorbeeld aan: drinken, eten, toetje
- weet je ook in welke winkels je die
  boodschappen kunt halen? Zet die ook op je
  lijstje.
- als je het leuk vindt, kun je een tekening
  maken van je bord met lievelingseten.

De tijd vergeten

Hein ligt op de grond aan de oever van
het meertje. Hij is een beetje misselijk.
Voorzichtig komt hij overeind. 'Wat is er
gebeurd?' fluistert hij.
'Mijn toverspookspreuk mislukte
doordat ik afgeleid werd.' Posko zucht.
'En daardoor verloren mijn andere
toverspookspreuken ook hun kracht.
Het kasteel en de kasteelkinderen losten
langzaam op. Totdat er niets meer van
hen over was. Kijk maar.' Posko wijst
naar het meertje. Het water ligt er donker
en rustig bij. Alsof er niets gebeurd is.
'Toen de muren en vloeren verdwenen,
viel jij bijna in de kasteelgracht. Er hing
al een brutale piranha aan je schoen.
Maar ik heb je nog net op tijd kunnen
redden,' zegt Posko trots.
Hein kijkt naar zijn benen. Zijn
broekspijpen zijn nat en modderig. En
hij mist een schoen.

'Sorry,' zegt Posko. 'Ik kon je schoen niet meer redden. Het was al moeilijk genoeg om hier op de oever te komen. Je had me moeten zien. Ik was knalrood van Bangigheid.'

'Je bent een held, Posko,' zegt Hein. 'Zo´n goede vriend heb ik nog nooit gehad. Ik ga nu terug naar het huis van opa en oma. Ga je mee?'
'Tuurlijk Hein,' klinkt het boven hem. 'Ik heb wel genoeg getoverd voor vandaag. Ik ga lekker uitrusten in mijn voordeur.'
Hein staat wankelend op. Hij is nog niet helemaal over de schrik heen. In de verte hoort hij geroep. Het wordt steeds luider.

'Hein, waar ben je. Hein, kom te voorschijn. Het is nu niet leuk om verstoppertje te spelen,' roept papa. Hollend komt hij het kronkelpad af. 'Hein, daar ben je! We maakten ons al zorgen. Het is al lang twaalf uur geweest.

We hadden toch afgesproken dat je om twaalf uur weer terug zou zijn?'

'Sorry, ik ben de tijd vergeten.' Hein kijkt bedrukt. 'Ben je nu boos op me?'
'Niet boos, maar ik was wel bezorgd. Ik was bang dat je de weg kwijt was. Wat doe je trouwens zo dicht bij het water?' Papa's stem klinkt streng.
Hein buigt zijn hoofd.
'En wat is er met je broek gebeurd? Hij is helemaal nat en modderig. En je mist een schoen. Hein, wat heb je gedaan? Ben je toch in het water geweest?' Papa kijkt hem strak aan.

Hein slikt. Zijn stem doet raar. 'Ja, ik heb met de kasteelkinderen in het kasteel gespeeld. Daar in het midden van het water. Maar toen viel het kasteel in stukken en zat er een piranha aan mijn voet en toen heeft mijn spookvriend Posko mij gered.'

Papa kijkt Hein met grote ogen aan. 'Je hebt een levendige fantasie Hein. Maar ik wil dat je me één ding belooft. Je komt niet meer alleen bij het water. Begrepen?'

'Ja,' belooft Hein.

'Nou, laten we dan maar eerst je schoen zoeken.' Papa kijkt om zich heen. Vlakbij een grote omgevallen boom die in het water ligt ziet hij de schoen drijven. 'Ik pak hem wel even.' Papa klimt op de boomstam. Voorzichtig schuifelt hij naar het eind. Hij wankelt en valt. Tot aan zijn knieën staat hij in het water.

'Haha, haaa. Nu zijn we allebei nat,' lacht Hein.

Papa is even stil. Dan lacht hij mee. 'Ja Hein, zo vader zo zoon! We zijn een mooi stel. Maar ik heb tenminste je schoen.' Triomfantelijk houdt papa Heins schoen omhoog. Het water druipt eruit. 'Kom, we gaan naar het huis van oma en opa. Eens kijken of ze droge spullen voor ons hebben.'

1 Posko werd heel erg bang toen het kasteel instortte en vervaagde. Ben jij ook wel eens bang?
- waarvoor ben je bang?
- wat voel je dan?
- wat doe je dan?
- hoe gaat het over?

2 Hein is de tijd helemaal vergeten. Vergeet jij ook wel eens de tijd en kom je dan te laat thuis? Hoe komt het dat je de tijd vergeet? Wat zeggen papa en mama als je te laat thuis komt?

3 Zullen we een klok maken? Je kunt de klok tekenen, schilderen, knutselen of knippen en plakken, wat je maar wilt. Je kunt een bestaande klok namaken. Maar je kunt ook een heel nieuwe hypermoderne nog niet bestaande klok maken.

Smeerpoetsen en stinkmonsters

Hein kan zich niet meer inhouden. Het laatste stuk rent hij naar het huis van opa en oma.

'Wij zijn lekker nat!' Hein wijst naar zijn benen. 'Papa's schoenen maken een heel vies sopgeluid. Net of hij scheten laat. Moet je maar horen.'

'Jongens, wat zien jullie eruit,' zegt mama verschrikt. 'Die kleren zijn helemaal vies en modderig. En bah, jullie stinken. Wat is er gebeurd?'

'Hein en ik keken even naar de vissen in het meertje. We stonden op een omgevallen boomstronk die half in het water lag. Maar die boom was glad. Dus vielen we er samen af,' zegt papa, terwijl hij Hein een vette knipoog geeft.

'Gatsie, in dat vieze water? Geen wonder dat jullie zo stinken.' Mama knijpt haar neus dicht. 'Jullie zijn smeerpoetsen!' Mama probeert boos te kijken. Maar

haar ogen glinsteren. Ze moet stiekem
lachen. Met Hein is het nooit saai.

'Ja, papa is een heel grote smeerpoets
en ik ben een kleine smeerpoets,' roept
Hein vrolijk. 'Pas op voor de stinkende
smeerpoetsen.' Hein loopt dreigend op
oma af.
Oma rent gillend weg. 'Help, er komt
een stinkmonster op me af. Help me
dan.'

Hein moet erg hard lachen om oma.
Opeens is hij geen eng stinkmonster
meer, maar gewoon Hein Stekel.
Oma draait zich om. 'Nou, als jullie die
natte spullen uitdoen, gaan opa en ik
wel kijken of we wat droogs voor jullie
hebben.'
'Ja Hein,' grapt opa. 'Wil je een leuk
rokje met balletschoentjes aan?'
'Nee opa, maar papa misschien wel.'
Hein steekt zijn duim in de lucht.

'De smeerpoetsen hebben schone kleren
aan. Nu is het tijd voor de lunch. Ik lust
ondertussen wel een boterham. Heb jij
geen honger gekregen Hein?'
'Een beetje oma.' Hein schuift op zijn
stoel heen en weer. Oma weet natuurlijk
niet dat hij al een lekker feestmaal in het
kasteel heeft gehad.
Opa, oma, mama en papa zitten druk te
eten en te kletsen. Gelukkig maar, denkt
Hein. Nu hebben ze niet door dat ik niet
zoveel eet.

1 Hein en papa hebben allebei een natte broek en natte schoenen. Mama wil weten hoe dat is gekomen. Papa vertelt niet de waarheid aan mama. In plaats daarvan zegt hij dat ze samen zijn uitgegleden toen ze naar de vissen keken. Waarom vertelt papa niet de waarheid denk je? Vertel jij ook wel eens niet de waarheid?

2 Hein is een smeerpoets en een stinkmonster. Ken je nog meer woorden voor iemand die in het water is gevallen en stinkt?

Afscheid?

De verjaardag van oma is afgelopen. Hein
helpt mee om de spullen op te ruimen.
'Wat is er Hein?' vraagt oma. 'Je bent zo
stil. Zo ken ik je helemaal niet.'
'Ik vind het zo jammer dat Posko hier
woont oma,' zegt Hein.
'Wie is Posko?' vraagt oma.
'Mijn onzichtbare vriendje.' Hein wiebelt
op één voet.
Oma knikt. 'O ja, je vriendje die ook van
toverslagroom houdt.'
'Hij woont hier in de voordeur.
Zometeen gaan we naar huis en dan zie
ik hem een hele poos niet.' Hein krabt op
zijn hoofd. 'En ik kan zo leuk met hem
spelen. Op school zijn er veel kinderen
die mij pesten omdat ik zo druk ben.
Posko pest mij niet.'
Oma strijkt Hein door zijn haar. 'Wat
een domme kinderen.' Oma kijkt hem
aan. 'Doe maar net alsof je een grote
paraplu boven je hoofd hebt en dat alle

pesterijtjes er zo van af glijden. Zonder jou te raken.'

Hein kijkt verdrietig voor zich uit. Hij doet altijd heel stoer, maar soms voelt hij zich best wel alleen.

Hein springt op. 'Ik heb een idee! We gaan aan Posko vragen of hij bij mij wil komen wonen.'

Oma glimlacht. 'Wat een goed idee.'

Ze lopen naar de voordeur. Hein klopt zachtjes op de deur. 'Posko, ben je daar?'

Er komt geen antwoord. Hein klopt nog een keer op de deur. Nu wat harder. 'Posko, ik ben het, Hein Stekel.' Het blijft stil.

'Misschien slaapt hij wel,' zegt oma. 'Of hij kan niet met grote mensen praten. Ik ga wel even weg.'

Hein klopt voor de derde keer op de deur. 'Posko, waar blijf je nou!'

'Rustig Hein.' Posko schraapt zijn keel. 'Ik hoor je wel hoor. Maar ik kan alleen met kinderen praten.'

'Ik was bang dat ik je nooit meer zou zien. Ik ga naar huis.' Hein praat snel verder. 'Wil je bij ons komen wonen? Dan kunnen we samen spelen.'

'O. Nou. Goh…' Posko wordt stil. 'Leuk. Maar hebben jullie ook een voordeur waar ik in kan wonen?'

'Ja,' juicht Hein. 'Een grote witte voordeur. Je vindt het vast een mooie woonplek.'

'Maar hoe kom ik daar dan?' vraagt Posko.

Hein pakt de deurknop. 'Dat is een makkie. Ik bevrijd je zo weer uit deze deur en dan zweef je gewoon alvast naar de auto. Je kunt op het dak zitten als we naar huis rijden. Wel goed vasthouden hoor. En thuis kun je zo onze deur in vliegen.'

'Oké Hein!' Posko klinkt enthousiast. 'Dat doen we.'

Hein wrijft met zijn linkerhand over de deurknop, trapt met zijn rechtervoet

tegen de deur aan en roept keihard:
'POSKO!!!!!!!'
Posko kraait van plezier. 'Tot zo Hein!'

'Papa, mama, het is tijd om naar huis te
gaan. Kom, we gaan.' Hein hangt aan de
arm van papa.
'Wat heb jij nou?' vraagt papa. 'Normaal
wil je nooit zomaar naar huis. Je vindt
het veel te leuk bij oma en opa. Ben je
ziek of zo?'

'Ik denk dat Hein een beetje moe is van al zijn avonturen,' zegt oma. 'En dat hij thuis even rustig in zijn kamer wil zitten. Klopt dat, Hein?'

'Ja oma. Tot de volgende keer. Dag oma, dag opa.' Hein geeft ze allebei een dikke kus. Uitgelaten rent hij naar de auto toe. Zou Posko al op het dak zitten?

'Ik ben klaar hoor Hein,' fluistert Posko. 'Mooi zo.' Hein straalt van plezier omdat zijn plannetje zo goed lukt.

Hij rent weer naar de achtertuin. 'Papa, mama, schiet nou op. Ik sta te wachten.'

'Nou, dan wacht je nog maar even hoor Hein,' reageert mama. 'Wij zijn de spullen bij elkaar aan het pakken. En ik wil opa en oma nog even normaal gedag zeggen. Een paar minuten meer of minder maakt ook niet uit.'

Maar Hein is veel te ongeduldig. Hij rent heen en weer tussen de auto en de achtertuin. Om te kijken of met Posko alles goed gaat. En om te kijken of papa en mama al een beetje opschieten.

'Die heeft weer de kolder in zijn kop.'
Papa staat op. 'Hopelijk houdt hij zich in
de auto een beetje rustig.'
'Ach.' Oma haalt haar schouders op. 'Je
zult zien dat als jullie eenmaal rijden het
met de ergste drukte over is. Kom laten
we maar naar de auto gaan.'

Eindelijk zit iedereen in de auto. Papa
start de motor. Hein draait het raam naar
beneden, hij hangt half naar buiten en
zwaait vrolijk. 'Dag opa, dag oma. Tot de
volgende keer!'
'Dag Hein, dag Posko. Veel plezier
samen,' roept oma terug. De auto rijdt
langzaam de bocht om en verdwijnt
tussen de bomen.
'Wat zei jij nou tegen Hein?' vraagt opa
nieuwsgierig. 'Wie of wat is Posko?'
'Dat is een geheimpje tussen Hein
en mij. Je hoeft niet alles te weten
oude bromtol.' Oma geeft opa een
vriendschappelijke stomp in zijn zij. Ze
draaien zich om en lopen terug naar huis.

1 Hein wordt op school gepest omdat hij anders is dan andere kinderen. Word jij ook wel eens gepest? Of pest je zelf wel eens andere kinderen?

2 Oma en Hein hebben samen een geheimpje. Oma weet van Posko, het onzichtbare vriendje van Hein. En dat Posko mee gaat naar het huis van Hein Stekel. Heb jij ook een geheim? Hou je het geheim voor jezelf of deel je het geheim met iemand anders?

Voor volwassenen: Hein Stekel heeft ADHD

Hein Stekel en Posko gaat in de eerste plaats over de avonturen die Hein - al dan niet in zijn fantasie - beleeft. Hein heeft ADHD. Dit wordt meteen in het eerste hoofdstuk duidelijk. Verder wordt het woord ADHD niet meer genoemd. Het wordt subtiel in het verhaal verweven en expres niet nadrukkelijk belicht. Het is dus niet een boek dat in de eerste plaats over ADHD gaat, maar er zijn wel ADHD-elementen in verwerkt:

Aandachtsproblemen. Hierbij is sprake van vergeetachtigheid, moeite met details, je spullen kwijtraken, snel afgeleid raken, van alles tegelijk doen. Niet lang kunnen luisteren, 'het ene oor in, het andere oor uit' valt hier ook onder. Maar ook komt hyperfocussen voor: heel sterk concentreren en een taak goed uitvoeren. Het lijkt dan alsof men 'wel kan, als men maar wil'.

Impulsiviteit. Meteen dingen doen, niet eerst nadenken. Dingen 'eruit flappen', voor je beurt spreken.

Hyperactiviteit. Altijd een gevoel van onrust in het lijf, niet stil kunnen zitten, steeds moeten opstaan en rondwandelen, steeds friemelen met de handen of met een voorwerp, tikken met de voeten, doorpraten alsof er geen rem is. Gespannen zijn en blijven, moeilijk tot rust komen.

Tijdsbeleving. Veel kinderen met ADHD hebben een probleem met het inschatten van tijd. Ze komen vaak te laat en schatten de tijd die ergens voor nodig is altijd verkeerd in (te kort). Kinderen met ADHD hebben doordat ze 'anders zijn' vaak moeite om vriendschappen met andere kinderen te sluiten. Ook dat element is in het verhaal en in de vragen verwerkt. In de loop van het verhaal roept Hein een denkbeeldig vriendje op; hij vlucht in zijn fantasie. Overigens is Hein hierin niet anders dan andere kinderen: veel kinderen van zijn leeftijd hebben een bovenmatige fantasie.

Hein Stekel en Posko is bedoeld als leuk leesboek. Als het daarnaast herkenning en begrip oproept ben ik in mijn opzet geslaagd.

Charlotte Doornhein,
19 oktober 2006

Over de auteur

Charlotte Doornhein (1972) is geboren in Bunnik en groeide op in Groot-Ammers. 'In 2002 heb ik de stap gezet om van mijn hobby – het schrijven – mijn hoofdwerkzaamheid te maken. En daar heb ik nog geen seconde spijt van gehad,' zegt ze.

Ze schrijft in verschillende genres: kinderboeken, korte verhalen en gedichten. 'Bij mij draait het om het plezier dat ik aan het schrijven beleef en de energie die ik eruit haal,' zegt ze. 'In mijn werk komen - direct of indirect - verschillende boodschappen naar voren zoals vrijheid, het belang van plezier hebben in de dingen die je doet, achter je eigen keuzes blijven staan en je eigen weg bewandelen.'

In 2001 publiceerde Charlotte het korte verhaal 'Hijgmachine' in de Volkskrant. In 2005 kwam haar debuutroman *Hein Stekel en László* uit. Herdruk van dit boek volgde wegens succes in 2006. *Hein Stekel en Posko* is Charlottes eerste boek dat zij rond 2003 heeft geschreven.

Charlotte Doornhein woont voor een paar jaar op Curaçao met Olaf, hun kinderen Imre en Jurn en de honden Kira en Audi. Die winterjas op de foto heeft ze dus voorlopig niet meer nodig...